这样做，成为抗挫高手

罗利娜◎著　　蘑　菇◎绘

北京科学技术出版社
100 层童书馆

图书在版编目（CIP）数据

这样做，成为抗挫高手 / 罗利娜著 ；蘑菇绘 . —北京：北京科学技术出版社，2023.11（2023.11重印）
ISBN 978-7-5714-3191-4

Ⅰ . ①这… Ⅱ . ①罗… ②蘑… Ⅲ . ①漫画 – 连环画 – 中国 – 现代 Ⅳ . ① J228.4

中国国家版本馆 CIP 数据核字 (2023) 第 150302 号

策划编辑：阎泽群
责任编辑：付改兰
图文制作：天露霖文化
责任印制：李 茗
出 版 人：曾庆宇
出版发行：北京科学技术出版社
社　　址：北京西直门南大街 16 号
邮政编码：100035
电　　话：0086-10-66135495（总编室） 0086-10-66113227（发行部）
网　　址：www.bkydw.cn
印　　刷：北京宝隆世纪印刷有限公司
开　　本：710 mm × 1000 mm　1/16
字　　数：109 千字
印　　张：8.75
版　　次：2023 年 11 月第 1 版
印　　次：2023 年 11 月第 2 次印刷
ISBN 978-7-5714-3191-4

定　　价：47.50 元

目录

每个人都是独一无二的

这只真懒哪,一动不动。

别睡了,快起来活动一下。

可能它就是不爱动,你别强迫它呀。

我好静,你好动,要是我强迫你和我一样,你也不愿意吧?

当然不愿意。

性格对我们有这么大的影响啊。

先天气质

你有没有发现，大家的喜好和性格各不相同。有人喜欢待在家里看书，有人喜欢在户外奔跑；有人喜欢朴实的衣服，有人喜欢夸张的衣服；有人外向，有人内向；有人活泼，有人安静……这些不同可能来自我们的基因，来自先天气质。

先天气质也可能被后天环境改变，内向的人可能会渐渐变得外向。每个人的性格都是复杂的，我们可能在一件事上表现得很勇敢，在另一件事上却表现得很胆怯。正是复杂的性格，使我们拥有独一无二的气质。

不许欺负人！

了解自己的性格优势

这次小义组织的活动非常成功，这和他的性格有很大关系。他活泼好动，喜欢和同学聊天，和所有人的关系都不错，这其实是因为他有这样一项性格优势——有社会智慧。有这种性格优势的人能轻松融入各种社会情境，知道他人所想。

其实，不光是小义，我们每个人都有自己的性格优势。研究积极心理学的心理学家塞利格曼等总结了 6 大类美德，体现为 24 项性格优势，快来看看你拥有哪些吧。

6 大类美德，24 项性格优势

智慧与知识

有好奇心：对世界充满好奇，不容易厌倦。

喜爱学习：喜欢接触新事物，喜欢去可以学到新东西的地方。

有判断力：能客观、理性地思考，做决定快。

有创造力：喜欢以不同方式做事，有想象力。

有社会智慧：能轻松融入各种社会情境，知道他人所想。

有洞察力：能看到问题的整体大方向。

勇气

勇敢：能够泰然自若地面对逆境。

有毅力：做事有始有终。

诚实：信守承诺，值得信赖。

仁爱

仁慈、慷慨：乐于助人，会为他人着想。

具有爱与被爱的能力：重视亲密关系。

正义

有团队精神：忠诚且有责任心，会努力做好本职工作，助力团队成功。

公平、公正：做决定时不受个人情感影响，给每个人同等的机会。

有领导力：组织能力强，并能监督团队成员执行任务。

节制

有自制力：在某些情况下，能够控制自己的情绪和欲望。

谨慎、小心：不说、不做会让自己后悔的事。

谦虚：不喜欢出风头，喜欢用成绩说话。

精神卓越

欣赏美和卓越：懂得发现、欣赏、追求美和卓越的东西。

感恩：不认为自己本该如此幸运，懂得向他人表达感谢。

乐观：相信未来会更好，并为此做好计划、努力工作。

有信仰：知道自己向往什么，有清晰的目标。

慈悲：能原谅曾对不起自己的人。

幽默：喜欢说笑，总能看到事情积极的一面。

热忱：充满热情，做事情时会全心全意投入。

为什么我长得不好看?

好羡慕你们呀!我也想去玩!

小莉今天穿得真好看。

你后面是游乐园的公主吗?好漂亮!

好多人夸你好看呢!

什么意思?难道我脸很大吗?

下次往后站一点儿,会显得脸小哟!

侧过去一点儿，脸显得小，下巴也更尖。

鼻子再高一点儿就好了。

眼睛好像也不够大……

我要是像小莉一样好看就好了！

第二天……

啊！长痘了，丑死了！

容貌焦虑

当今社会，化妆、滤镜、整容技术日渐成熟，网络每天都在给我们推送各种"A4腰、直角肩、大长腿、锥子脸"的帅哥美女照，让大众产生了"容貌焦虑"，觉得自己浑身上下都是缺点，难看极了。

但是仔细想想，我们真的不够美吗？这个"美"的标准，又是谁定的呢？

有的时代，人们普遍认为胖胖的女人很美

有的时代，人们普遍认为瘦瘦的女人很美

有的时代，人们普遍认为风流倜傥的男人很帅

有的时代，人们普遍认为孔武有力的男人很帅

可见，人们的审美标准就像风向一样，常常改变。

为了迎合这些经常改变的东西而否定自己，岂不是很可笑？

美并没有统一的标准。真正的美不在皮囊，而在灵魂。

不断丰富自己的精神世界，我们就会发现，人生中的很多事比"追求美貌"更重要。

9

皮格马利翁效应

希腊神话中有个叫皮格马利翁的人，他倾尽心血雕刻了一座美丽的少女雕像，并像对待妻子那样打扮它、爱护它。最后，雕像真的活了，并成为他的妻子。

一位心理学家受到这个故事的启发，做了一个实验。他随机挑选了一些学生，并告诉老师，他们很有前途。半年之后，这些学生果然都大有进步。这就是皮格马利翁效应。人被寄予厚望时，会变得自信，并会不断努力，以满足他人的期待。

所以，如果我们真的为容貌焦虑，不妨每天真心地称赞自己吧。这可不是什么自我催眠。学会欣赏自己，我们就会发现，自信的自己迷人极了！

我的脸蛋真可爱。

我的眼睛真亮。

我的头发真柔顺。

我的笑容很甜美。

我的鬼脸也很可爱。

原来我笑起来痘痘也会跟着笑，挺可爱的呀。

我鼻孔会变大，谁有我可爱？

看，我的大西瓜！

内在和外在

　　一个人所展现出来的美，不仅包括外在美（通过容貌和身材等表现出来），还包括内在美（通过气质、性格、品德、学识等表现出来）。如果我们想改变自己，可以试试下面这些方法。

1 保持整洁

拒绝外貌焦虑不等于邋里邋遢。勤洗澡，勤刷牙，勤剪指甲，穿着干净得体，这样能让自己更开心。

2 抬头挺胸，自信微笑

千万别因为对外貌不自信就一直驼着背、低着头！自信大方能让你更出众！

3 塑造有趣的灵魂

你有没有发现，一些喜剧演员外貌不出众，却非常受欢迎？人与人第一次见面时可能会被彼此的外貌吸引，但是长久的相处靠的则是内在的品格。幽默感是最吸引人的品格之一。此外，诚实、可靠、好学等，也都是很吸引人的品格。

以下两点千万不要做！

1. 不要节食。节食可能影响身体发育，得不偿失！

2. 不要以貌取人。请记住，内在的品格最重要。

他就是因为长得帅才当上班长的。

为什么我家买不起？

看我的新游戏机！用它能玩上千款游戏，包括体感游戏！

体感游戏？你在吹牛吧？

我没吹牛，你拿上这个手柄试试。

是真的，太酷了！

你看，还可以这样开车呢。

幸运饼干理论

很久以前，一位心理学家打开了一个饼干盒，里面掉出一张纸条，上面写着一句意味深长的话。

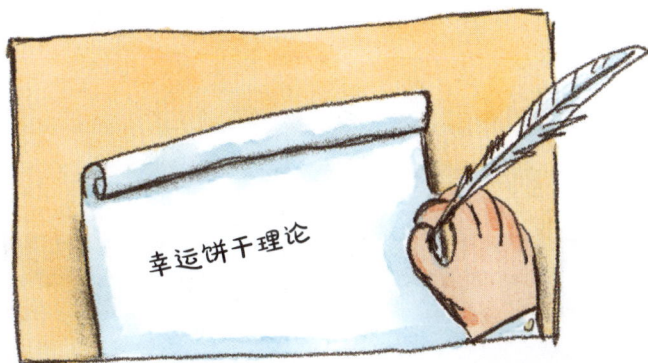

不要去想那些你想要却没有的东西，想一想哪些东西是你讨厌同时也没有的。

纸条上这句简单的话，启发他总结出了幸运饼干理论。

幸运饼干理论

你有过下面这些经历吗？

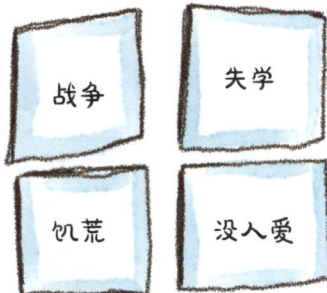

战争

失学

饥荒

没人爱

好像我都没有……

钱只是帮助我们获取幸福的工具，而不是决定性因素。就像旅行一样，虽然多花一点儿钱乘坐飞机更快捷，但是少花一点儿钱乘坐火车也能到达目的地，而且还能欣赏沿途的风景。所以，我们要树立正确的财富观，不要成为金钱的奴隶。

为什么有些人更富裕?

通常情况下，我们的零用钱来自父母的辛勤工作。假设一位家长一个月赚 6000 元，每天工作 8 小时，一个月工作 22 天，每小时大约能赚到 34 元。

一个汉堡 ≈ 1 小时工作

一套拼插玩具 ≈ 10 小时工作

一台最新款游戏机 ≈ 30 小时工作

1小时

10小时

30小时

爸爸妈妈在支付必要的房屋贷款、学费、水电费、购买日常用品的费用等之后，还需要存一些钱以备不时之需。剩下的钱才能用来购买非必要的玩具、零食等。然而，爸爸妈妈的时间和精力是有限的，赚到的钱也是有限的。这就是为什么我们不能什么都买的原因。

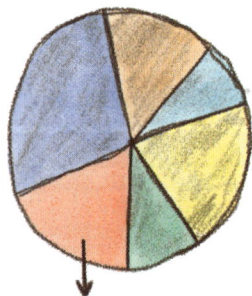

意外开支

为什么有的家庭更富有呢? 这是因为，决定一个人收入的因素有很多，有机遇，有努力，有天分，还有个人选择。

机遇　努力　天分　个人选择

每个家庭情况不一样,并没有可比性。但是，不管怎样，我们要相信，我们的爸爸妈妈在努力地给我们更好的生活。

学会管理金钱

我们虽然不可以什么都买，但是可以通过管理金钱，让手中的钱发挥最大的作用。

1 记账——记下自己的每笔消费

通过记账，我们就能知道哪些消费是不合理的消费。如果能把这些钱都攒下来，能支配的钱就变多了。

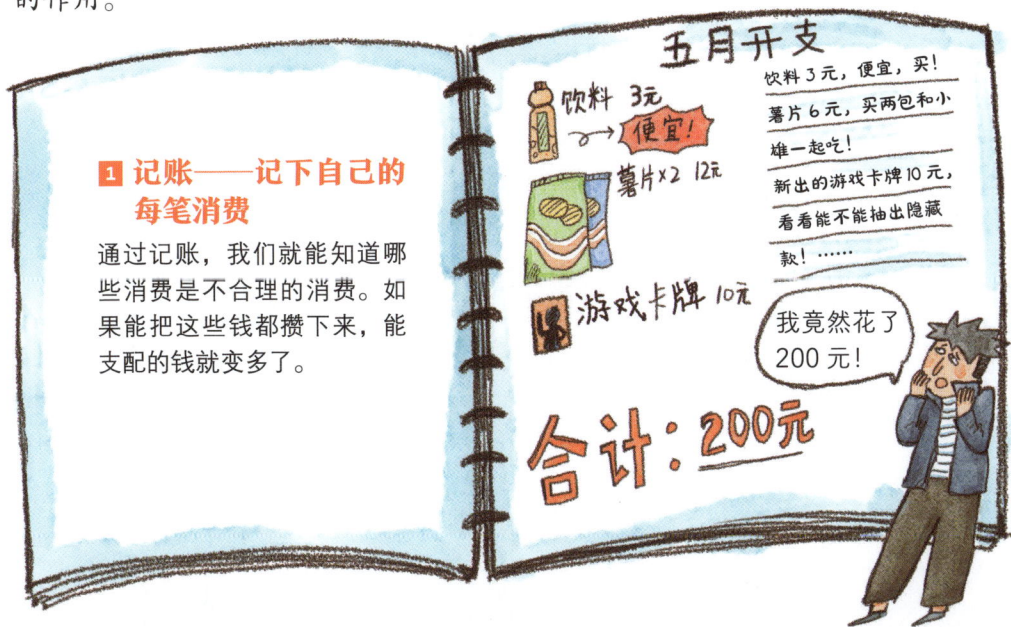

五月开支

饮料 3元 便宜！

薯片×2 12元

游戏卡牌 10元

饮料3元，便宜，买！

薯片6元，买两包和小雄一起吃！

新出的游戏卡牌10元，看看能不能抽出隐藏款！……

合计：200元

我竟然花了200元！

2 了解必要消费和非必要消费

妈妈认为没必要买游戏机，不只因为它价格高，更因为游戏机可能影响小义的学习成绩和健康；而轮滑鞋即使价格高，但为了增强小义的体魄，妈妈也会买。

下个月要送妈妈一支护手霜当生日礼物，这是必要的开支！饮料不喝也没关系！

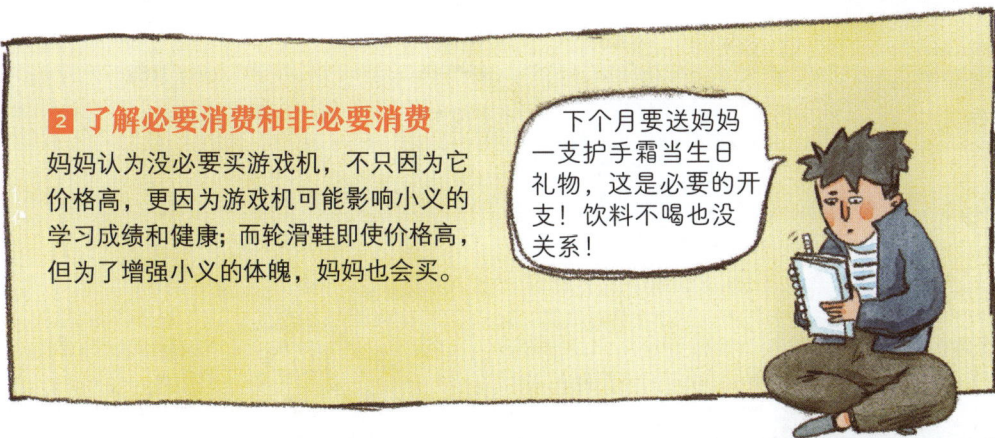

3 学会储蓄

如果我们每个月能攒一些钱，一段时间之后，就能拥有一笔可观的财富，并用它去做更多事情。而且，我们还可以把钱存到银行，获得利息，让钱生钱。

什么是情绪?

愤怒、悲伤、害怕、惊讶……我们碰到不同的事情，会产生不同的情绪。这些情绪反映了我们内心的感受，影响着我们的身体反应和行动。

俗话说"人有七情六欲"，这个说法跟心理学的研究很相似。心理学家认为，人的基本情绪有：快乐、惊讶、恐惧、愤怒、悲伤等。

 快乐　　 惊讶　　 恐惧

	快乐	惊讶	恐惧
表情	脸颊鼓起来，嘴角上扬，嘴巴张开。	眉毛耸起来，眼睛睁大，嘴巴张开。	眉毛上扬，皱缩在一起。瞳孔收缩，嘴角向下撇。

身体反应	身体放松，手舞足蹈。	快速地吸气。	全身肌肉紧张，发抖，出汗，屏住呼吸。

 愤怒　　 悲伤

	愤怒	悲伤
表情	眉头向下，双唇紧抿，眼睛瞪大，鼻孔张大。	眉毛下垂，嘴角向下，双眼无神。

身体反应	心跳加速，面红耳赤，呼吸粗重，声音提高，肌肉紧张，拳头紧握。	流泪，失眠，胸口疼痛。

积极情绪和消极情绪

快乐、感动、平静……这些情绪通常给我们好的感受，所以我们把它们称为积极情绪；而悲伤、恐惧、愤怒等情绪通常会让人产生不好的想法、行为和后果，所以我们将它们称为消极情绪。

下面是一些常见的情绪，你能判断它们是积极情绪还是消极情绪吗？请在积极情绪前的序号上打"√"，在消极情绪请前的序号上打"×"。

1. 幸福
7. 颓废
30. 平静
34. 厌倦
12. 委屈
21. 不满
26. 妒忌
32. 自卑
11. 忧郁
22. 愤怒
2. 快乐
13. 沮丧
35. 忧愁
27. 激动
6. 悲伤
28. 轻松
5. 感动
14. 内疚
16. 紧张
8. 空虚
9. 麻木
19. 焦虑
23. 烦躁
10. 惊讶
29. 冷静
25. 厌恶
36. 尴尬
18. 担心
15. 失望
3. 兴奋
20. 焦急
31. 寂寞
17. 害怕
4. 自豪
33. 无奈
24. 暴躁

19

认识自己的情绪

心理学家发现，我们的情绪往往是由自己的想法引起的。这意味着，面对同一件事，不同的人可能产生不同的情绪。同一个人在不同的情况下，面对同样的事情，也可能产生不同的情绪。

看到一只小狗

哇，这只狗好酷啊！好想去摸一摸。

喜悦

我的妈呀，好大的狗，别过来，千万别过来！

害怕

上课老师点名背课文

我还没背下来，千万别叫我！

紧张

嘿嘿，我昨天背了一晚上呢！

期待

看到了吗？在不同情况下，哪怕面对的是同样的事情，我们也会有不同的身体反应和想法，进而产生不同的情绪。所以，我们可以根据身体反应和想法来判断自己的情绪，也可以通过调节身体反应和改变想法来改变自己的情绪。

情绪没有好坏之分，每种情绪都有重要意义

既然消极情绪让我们感到不舒服，那我们可以把消极情绪丢掉吗？答案是否定的。无论是积极的情绪，还是消极的情绪，都是我们人类必需的，每种情绪都有意义，它们对一个人的生活和成长都至关重要。

1
消极情绪可以帮助你识别危险

没有恐惧

> 你好!

心怀恐惧

> 啊啊!

2
消极情绪可以激励你采取行动

没有焦虑

> 考试不重要!

心怀焦虑

> 还是复习一下吧。

3

情绪可以帮助你做出决定

4

情绪可以帮助你了解别人，也能让别人更好地了解你

情绪不分好坏，无论是快乐、兴奋，还是愤怒、恐惧，都有重要的意义，都能帮助我们更好地思考、行动和做出改变。让我们学会认识和接纳情绪，迈出情绪健康的第一步吧！

考试考砸了

要发卷子了，别忘了拿给家长签字。

99！ 99！

怦！ 怦！

咕咚

"99！99！ 99！99！ 99！
99！ 99！ 99！
99！ 99！99
99！ 99！99！
99！ 99！ 99！
99！

哇，真的是99分呀！梦想成真！

妈，我数学成绩和最高分差一点点。

只差一点点！

嗖！

啊啊啊啊啊！

老实说，差多少?!

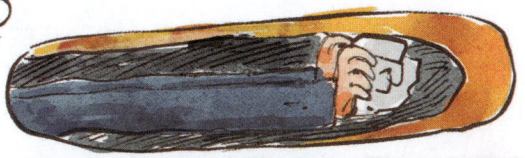

我回来了！

怎么回来这么晚？考试成绩出来了吗？

25

为什么考试考砸了我们会焦虑呢？

面对考试成绩，许多孩子会表现出恐惧、担心、紧张，甚至出现身体不适，这些都是由焦虑情绪引发的。在焦虑的时候，我们可能像小义一样，有下面这些表现。

沮丧

我明明已经很努力了，怎么还考成这个样子？

自卑

难道我真的很差劲？

愤怒

出题的人一定跟我有仇，考的内容都跟我准备的不一样！

绝望

我再也考不好了，没有一场考试我能考好。

惆怅

我该怎么办？

无力感

连考试都考不好，我还能做什么？

很多孩子在成绩不理想的时候，最担心的是爸爸妈妈会因此不再爱自己。爸爸妈妈真的会因为孩子的成绩不好而不爱孩子吗？

没考好，你心里比谁都难过，你选择对我撒谎，是害怕我因为你分数低而不爱你。

我还冲你大喊大叫，对你来说，这肯定是更大的打击。所以我为我的不理智和坏脾气向你道歉。

在学习上，有一种精神很重要，那就是越挫越勇。

成绩不好没关系，最重要的是想办法去改变。

？ 考砸了，问题出在哪里？

　　每次考试之后，不管结果如何，下面这些问题都可以帮助我们思考考试失利的原因。

关于出现的问题	关于学习方法	关于心态
☐ 我的答案哪里出错了？	☐ 我是否制订了合理的学习计划？	☐ 我是不是太紧张了？
☐ 我是否按照试卷上的要求写了答案？	☐ 我是否在以最有效的方法学习？	☐ 我是不是对这次考试不够重视？
☐ 我是否足够深入地理解了这道题考查的知识点？	☐ 在学习的过程中，我是否不断地进行自我评估？	☐
☐ 我那天有没有合理安排时间？	☐ 我在哪方面成功了？为什么？	☐
☐ 我在备考过程中有什么疏漏？	☐	☐

要知道，即使你考得再糟糕，也会有一些做对的题。这说明你是有潜力的，是可以进步的。只要学会总结，你就能从考试中积累经验。复制这些成功经验，你就离提高成绩越来越近啦。

总结本

我们不是一个人在战斗

我们不是一个人在战斗，老师、父母、同学、朋友都会帮助我们，大家是一个团队。比如，你可以主动请爸爸妈妈做下面这些事。

寻求老师的帮助
学校的老师是很重要的人，可以帮助你的爸爸妈妈了解你的情况，找到问题所在。

分析试卷，总结经验
爸爸妈妈可以帮你分析试卷，找出问题所在，理解重点和难点，总结经验教训。

老师，小义这次考试没考好，我们想了解一下小义这段时间的学习状态，看看怎样做可以帮助孩子。

小义，这道题你应该这样去思考……

别太在意别人的成绩

　　如果小义的父母总说小杰有多厉害，对小义来说，这可能不仅起不到激励作用，还会打击他学习的积极性。父母不应将自己的孩子与别人的孩子做比较，同样，我们自己也不用过度和别人做比较。

努力！

每个人都有自己擅长的领域

有些人擅长舞蹈，有些人擅长数学，有些人擅长社交，有些人擅长跑步……
每个人擅长的领域不同，各有长处和短处。

细心

童趣

将别人的长处与自己的短处进行比较，
除了削弱自己的信心之外，并没有什么好处。

现在，你知道该如何正确面对考试结果了吧？试着去安慰身边考砸的同学吧。

可以参考以下表述

可以这样说

"如果你需要帮助，我就在这里。"

"每个人都有考砸的时候，我也有过和你相同的处境，我们都要以积极的心态面对。"

"跟我说说你的感受。只要你需要我，我一直在这里。"

"把你的注意力暂时从这些事情上移开，我们一起去散散步。"

不建议这样说

"考试能有多难？我根本没有好好学，但所有科目都得了满分。"

"考试真的很容易。"

"别担心，成绩根本没那么重要。"

"这意味着你不能考上好学校了吧。"

上课说话被批评了

这题不会，这题也不会……

小义，小义。

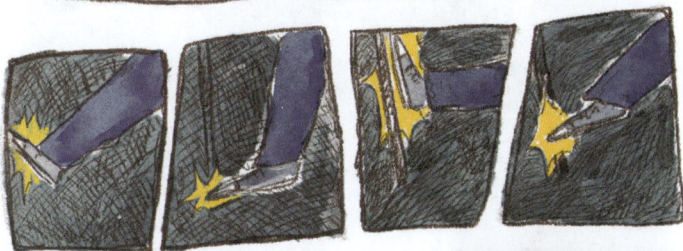

小义小义小义
小义小义小义
小义……

不要踢我！

被批评后，你有哪种反应?

　　你被批评过吗？你也许因为上课和同学聊天被批评，也许像小义一样，被误会而挨批评。被批评的时候，你会有哪些反应呢？

绝望　　　委屈　　　尴尬　　　赌气

糟了，被批评了。老师肯定觉得我是一个坏学生，再也不喜欢我了，爸爸妈妈也会觉得我是一个坏孩子。

气死了，根本不是我的错，老师就喜欢冤枉人！

这可怎么办？全班同学都在笑话我吧……

我一直表现得很好，偶尔交头接耳一次，为什么批评我？这也不是我的错。我以后上她的课再也不好好听讲了。

　　不管是谁，被批评了都会不开心。被批评的感觉就像晴天霹雳一样，让我们手足无措，甚至觉得天都要塌了。我们难道只能消极地应对批评吗？

避雷针效应

雷雨天，高大的建筑物容易遭受雷击。但如果我们在建筑物上安装一根金属避雷针，避雷针就能把雷电的电流吸引过来并导入地下，建筑物就能安然无恙。

受到批评后，我们可以向和我们关系比较好的同学倾诉，以此来排解不良情绪。

避雷针效应指不良情绪只要能被及时疏导，就不会对我们造成很大的伤害。所以在被老师批评后，我们也需要及时疏导自己的情绪。

首先我们要知道，大部分老师都是非常负责的。老师批评我们，说明重视我们，在意我们的表现，希望我们变得更好。所以，我们不能一受到批评就对老师怀有敌意。

我们也可以做一些喜欢的事情来转移注意力，比如看一场喜剧电影，或者去运动。

反思不良心态

现在让我们来看看，我们最开始的想法真的正确吗？

反思不良心态

我一直是个好孩子，一次批评并不能让我身上的优点消失。

老师也会犯错。被冤枉了，我可以私下心平气和地跟老师解释清楚。

做了错事当然会被批评呀！不过，只要及时改正，我还是好孩子。

老师批评我是为了帮助我更好地进步。如果我把不好好上课当作对老师的报复，就是对自己的不负责。

我们的心理空间就像一个充满气的气球，在遇到挫折和被批评时，它就会受到挤压。

最终可能导致爆炸！

所以我们不仅要及时调整不良心态，也要积极锻炼心理承受能力，增强承受压力和挫折的能力。

举手被忽视了

这个问题谁来回答？

好多同学都会呀。小义，你来回答。

这个问题谁来回答呢？

小豆包，你怎么一直不举手呢？你来回答吧。

小豆包明明没有举手。

为什么叫他不叫我……

马上要下课了，最后一个问题，谁来回答呢？

可能我就是一个透明人吧……

老师根本就不喜欢我……

我再也不举手回答问题了。

视网膜效应

你遇到过这种情况吗？买了最新款的文具，却发现学校里好多同学都在用同样的文具；买了最新款的漂亮衣服，却发现大街上好多同龄人穿着同样款式的衣服。

明明之前从来没见过类似的东西，但是我们拥有了之后，却发现好多人都有同样的东西。这个现象叫作视网膜效应。

小琪太期待被老师提问了，所以当没被提问时，她就变得格外敏感，觉得只有自己被忽视了。但是她没注意到的是，其他人也不是每次举手都能被提问。

这是因为，当我们过于关注某件事时，就会不自觉地留意相关的信息、忽视其他不相关的信息，导致我们看事物不全面，从而做出错误的判断。

老师为什么要提问？

都是提问惹的祸，要是老师不提问，就不会发生这种事情了！

如果我们这么想，就大错特错了。我们应该清楚老师为什么要提问。

1 启发学生思考

如果老师只是一味地讲授，学生就只能被动接受知识，学习效率比较低。

2 了解学生的理解程度

老师提问的地方通常是难点或者重点，老师需要根据同学们的回答情况来判断他们是否真正掌握了知识。

3 了解整体听课进度

当老师提了一个问题后，如果举手的同学特别多，说明对应的知识点大家掌握得比较好；如果举手的人很少，而且大家都低着头，说明这里需要重点讲解。

4 帮助学生调整听课状态

如果老师发现某个同学走神、和同学聊天，或者一脸迷茫，也会特意叫他回答问题，帮助他找回良好的听课状态。

一个班有那么多学生，即使老师每次都叫不同的同学来回答问题，也有可能几天才会轮到你。如果据此判断自己被忽视、被针对，从而产生"讨厌老师""再也不举手"等心理，不仅是对老师的误解，更是对自己不负责。

改变这种状态吧!

可是，如果这种被忽视的感觉确实已经影响到我们的心情，那我们就要想办法改变这种状态。

积极地看待问题。要对自己有信心——我这么棒，怎么会被人讨厌呢?

我最棒!

坚持举手。如果因为怕被忽视就不再举手，那以后被提问的机会岂不是更少了?

在心里作答。即使没被提问，你也可以在心里回答。

表扬
正一

私下与老师沟通。如果心里很介意，你可以在课间和老师私下沟通，说出你的苦恼。

告诉家长。试着告诉家长你的苦恼，让家长和老师沟通，看看是否有误会。

觉得自己不如别人优秀

同学们，请安静一下，我有事宣布。

下周的表演，我们要挑选跳得最好的同学作为领舞。她就是……

小莉！

领舞的人果然还是小莉。

小晶，等一下。

你虽然学动作很快，但还是要多练习一下基本功呀。

嗯，知道了。

这次领舞的又是小莉。

那也没办法啊，小莉确实跳得像公主一样优雅。

小莉长得也像公主一样好看。

而且小莉人也很好。

太羡慕了，竟然有这么完美的人！

44

45

完美主义谬误

如果警察不能制止全部的犯罪行为，那警察就没用。 ❌

如果医生不能治愈所有的疾病，那医生就没用。 ❌

你肯定觉得这是无稽之谈。但是在生活中，我们有时候确实会觉得如果一件事情做不到完美，就不值得努力，这就陷入了完美主义谬误。

　　其实，完美主义谬误的问题不在于是否追求完美，而在于将追求完美当作不努力的借口。小晶在与小莉比较的过程中，感到被否定、被质疑，最终对自己失去了信心，甚至把矛头指向小莉，指向芭蕾。表面上看，小晶是在追求完美；实际上，她害怕再次失败，只想逃避。

感冒的时候，喝水不能杀死病毒，但可以让我们的喉咙不那么难受，还能促进新陈代谢，让我们好得更快。

奖

学习不一定能让我们获得诺贝尔奖，但可以让我们增长见识，而且各行各业都离不开科学知识。

我们努力不是为了超越别人，而是为了成为更好的自己。

46

反省智力

"杂交水稻之父"袁隆平在近 10 年的时间里，经历了无数次失败的探索后，才成功研究出水稻杂交育种技术。

中国首位诺贝尔生理学或医学奖获得者屠呦呦在成功提取青蒿素之前，已经失败了 190 次。

真正的聪明人，不是不会失败的人，而是能以正确的心态面对失败的人。这样的人就是拥有反省智力的人。有一个关于聪明的公式：

$$聪明 = (神经智力 + 经验智力) \times 反省智力$$

神经智力就是所谓的天赋。
通过后天练习，我们可以提升经验智力。

反省智力像一个放大器，反省智力高，我们的天赋和经验就会被成倍放大；而反省智力低，即使有再高的天赋和再丰富的经验，也难有用武之地。

反省智力的 3 个方面

1 积极的心态　　2 正确的思维方式　　3 良好的自我管理能力

龟兔赛跑中的乌龟虽然没有跑步的天分，但有极高的反省智力，它靠着不服输的信念、对形势的正确分析和脚踏实地的行动，最终战胜了兔子。

如何提高反省智力？

与其羡慕别人有好成绩，进而陷入自卑情绪中无法自拔，不如提升自己！下面的几个方法可以帮我们提高反省智力。

1 培养积极的心态

把"为什么我又失败了"的消极想法转换成"今天我哪些地方做得好"的积极想法。

我真没用，每次都输给小莉。

我今天的动作做得很标准。

2 改变思维方式

不要因自己的失败而怪罪别人。要看到别人好的一面。

老师就是偏爱小莉。

小莉跳得好美，我也要跳得这么美。

3 及时复盘

如果觉得自己某件事做得不够好，我们可以总结失败的原因，并及时调整做法。只有这样，我们才能越来越好。试着来复盘吧。

失败的原因在哪里：

解决方法是什么：

谁能帮助我：

哇，考了第一名！

这次测验有 3 个同学考了 100 分，并列第一名。其中，小义进步非常大。

哇！小义真棒——

给大家看看我的 100 分！

谢谢大家！写的都会，蒙的都对，我简直就是数学天才！

那几道选择题都蒙对了，我运气真好！

达克效应

达克效应

小义这次考了 100 分，开心得尾巴都快翘到天上去了，连课也不认真听了。这种骄傲可能源于达克效应（也叫邓宁－克鲁格效应）。

很多年前，一个男人在光天化日之下，没有戴面具就去抢银行。他被警察抓到的时候，十分震惊地说："我涂了柠檬汁，你们是怎么找到我的？"

原来，这个人偶然间看到柠檬汁可以被用作隐形墨水，误以为涂上柠檬汁自己就能隐身。

两位心理学家邓宁和克鲁格看到这则新闻后，总结出了达克效应。简单来说，越无知的人，越不能清晰地认识到自己的不足，从而高估自己的能力。

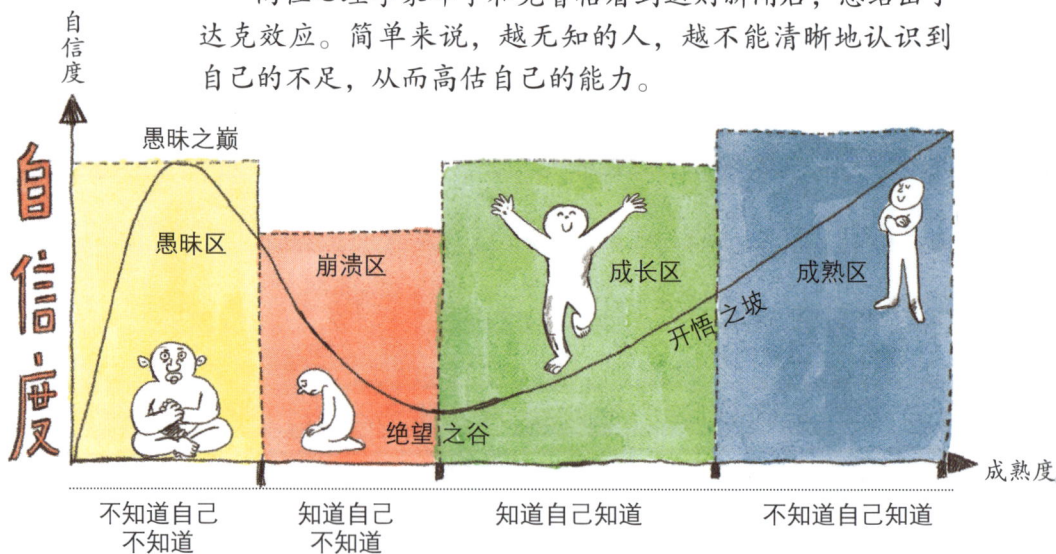

那个抢银行的男人当然很可笑，然而小义的行为在某种程度上不是和他很像吗？小义没有意识到自己能考 100 分存在很多偶然因素，盲目地认为自己的数学水平已经很高了。

积极的骄傲和消极的骄傲

其实，骄傲具有两面性。在取得成就后，我们难免感到骄傲。如果我们变得更加积极向上，通过努力保持自己的状态、获得更多成就，这种骄傲就是积极的。但是，如果我们内心膨胀，忽视成就中隐藏的危机，甚至不接受别人的意见，认为别人都不如自己，这种骄傲就是消极的。

积极的骄傲

这道题扣分了，我要赶紧把这个知识点搞明白，争取下次不再犯错。

我要多研究最新病历，争取继续保持手术零失误的纪录！

消极的骄傲

这么简单的题都不会，也太笨了。

乌龟慢悠悠的，我再睡一会儿也来得及。

避免消极骄傲

的确，取得好成绩是一件值得高兴的事情，但成绩不代表一切，它只能大致反映一个人在一段时间内的学习情况。如何正确看待成绩呢？

只要努力，每次都进步一点点，即使暂时没有考出好成绩也没关系。找到学习的乐趣，探索适合自己的学习方法，学会从失败中积累经验，才是正确的学习态度。

成绩 ≠ 能力

小杰，你再给我讲讲这道题好吗？

刚刚老师讲过了呀。

刚刚我没认真听。

这道题首先要这么解……

原来一次考试得了 100 分，并不代表我各个方面都很厉害。

把热爱置于成绩之上，才是进步的关键
经济学家于光远晚年开始跨界攀登文学高峰；齐白石一生都在汲取历代画家的长处，画风多次转变，作品臻至化境。只有热爱，才能让自己一直进步。

过度追求好成绩对我们的心理健康不利
过度追求好成绩可能让我们慢慢丧失学习兴趣。

我们可以通过成绩进行反思
比如，还有哪些知识点没掌握？之前的学习方法有没有效果？问题出在哪里？

　　我们不需要做到每一科都考满分，每一次都考满分，但我们应该尽力而为。在学习时我们可以做一些尝试，比如探索不同的学习方法，在课本知识的基础上进行拓展，接受一些新挑战……

表演失败了

旋转 落地 跳 旋转

怎么了？你看起来好紧张。

我觉得我跳得还不够好，一会儿出错可怎么办……

你昨天排练时跳得很好呀，放轻松，没问题的！

56

57

灾难化思维

　　你是否也像小晶一样，担心没法完成精彩的演出、被他人嘲笑、拖累同伴？适当地思考负面结果，有助于增强我们前期练习的动力，也是有责任心的表现。但是，如果把可能发生的不良后果无限放大，我们就会陷入灾难化思维，让恐惧阻碍我们继续前行。

　　灾难化思维像一座大山，压得人喘不过气来。小晶就是这样。本来，她在排练时表现得很好，但是在正式演出中，她并没有专注于表演，而是不断设想各种糟糕的结果。这些压力压垮了小晶，导致演出失败。

停下来，不要再想了！

每个人都会犯错

每个人都会犯错。所以，千万不要觉得犯错是什么不得了的事情。犯错后应该怎么做呢？

第一步，意识到灾难化思维有多荒谬

在灾难化思维中，每一个推论似乎都有道理，但其实不然，按这些推论，我们最后会得出一个荒谬的结论，这显然不合理。

如果……就……

第二步，停止假设，放下过去

"别想了，继续前进吧"是一句很神奇的话，它可以帮助失误的足球运动员找回状态，也可以帮助我们停止假设，放下过去。

别想了，继续前进吧！

第三步，专注当下

1 演出时即使出错，也要继续做动作。

2 不要让情绪失控，最重要的是完成演出。

冷静！冷静！冷静！冷静！冷静！冷静！

要记住，很多时候我们在舞台上犯的自以为严重的错误，观众都不会当回事，甚至很多观众根本意识不到有问题。只要我们保持冷静，大部分错误都是可以轻松化解的。

当自己的错误影响到别人时

虽然犯错没什么，但是如果我们的错误影响了伙伴，我们就需要真诚地向伙伴道歉，并总结犯错的原因，汲取经验，有针对性地进行调整，以便今后做得更好。

总结犯错的原因

1. 动作难度过高。
2. 动作没掌握好。
3. 练习时间不够。
4. 心理压力过大。

汲取经验

1. 下次选择更简单的舞蹈曲目，或者花更多时间练习。
2. 下次演出前，先在人多的场合排练，提前适应压力。

对不起，小莉，这次的动作非常难，之前练习时我没有掌握好，所以上台后出了错。我更不该把你一个人留在舞台上。下次表演前，我会花更多时间练习。你下次还愿意和我一起跳舞吗？

没关系的，下次我们一起加油，一定会做得更好！

一直逃避不是办法

故事二：小雄想当体育委员

我想竞选班长！

我想竞选文艺委员！

我想当纪律委员！

马上就要竞选体育委员了，你准备好了没？

我没准备……

你不是很想当体育委员吗？为了这个，你还跟咱们班现在的体育委员吵过一架，说如果你当体育委员，肯定能干得更好。

我当时说的是气话。

人家学习好……

体育也好。

你看我，跑几步就大喘气，拿什么去争呢？

老师非让我当手工课的组长，可组里有两个男生很调皮，根本不听我的。

而且我哪里会做什么手工立体书啊，万一做不好，大家肯定会怪我的。

万一作品被选中了，还要参加市里的比赛，事情又没完没了的。

约好一起讨论，居然一个人都没来。

老师怎么把这个难题扔给我了啊？

约拿效应

有一个叫约拿的人，是一位虔诚的基督徒。

上帝啊，让我为你做些什么吧！

有一项使命要交给你。

一天，上帝交给他一项使命。他既激动，又自豪，但是又怕做不好，犹豫不决，最后拒绝了这项使命。

我做不到！
我不行！
太难了！

这种既渴望成功，又害怕成功的纠结心理，就叫约拿效应。

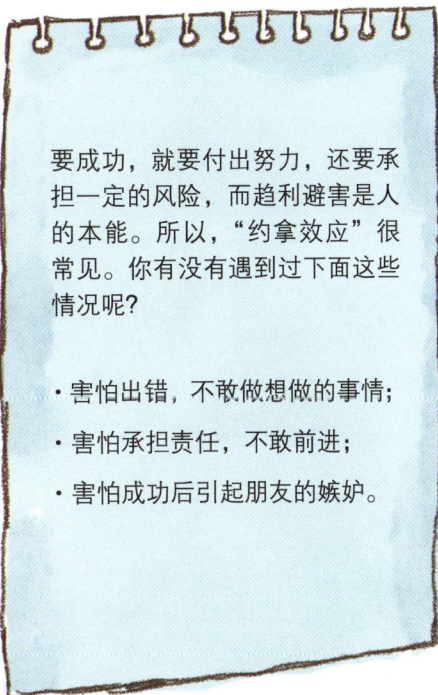

要成功，就要付出努力，还要承担一定的风险，而趋利避害是人的本能。所以，"约拿效应"很常见。你有没有遇到过下面这些情况呢？

· 害怕出错，不敢做想做的事情；

· 害怕承担责任，不敢前进；

· 害怕成功后引起朋友的嫉妒。

很多时候，我们眼睁睁看着一个个机会与自己擦肩而过。其实，阻碍我们进步的最大敌人不是别人，而是我们自己。

看好你！
加油！
看吧，我就说争不过的。

65

如何克服约拿效应？

先仔细想想，我们为什么会产生这种担忧呢？

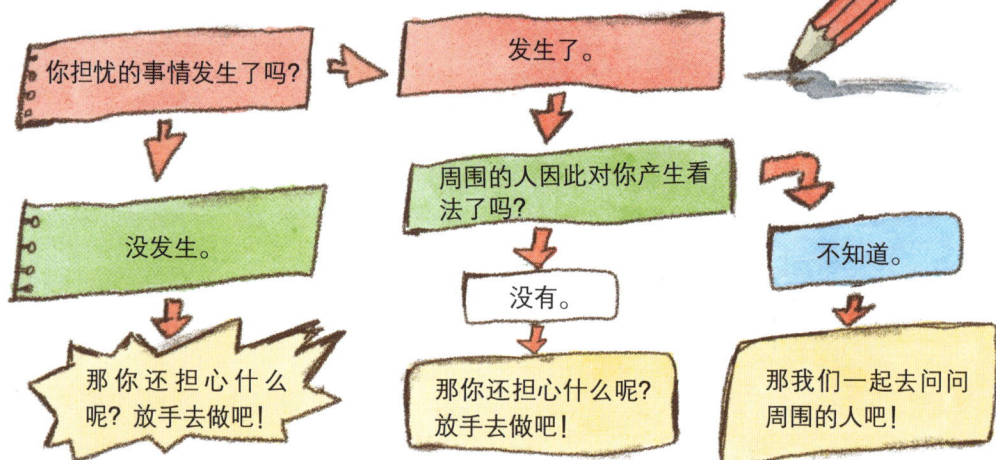

你担忧的事情发生了吗？ → 发生了。

没发生。

周围的人因此对你产生看法了吗？

不知道。

那你还担心什么呢？放手去做吧！

没有。

那你还担心什么呢？放手去做吧！

那我们一起去问问周围的人吧！

1 你会为输给朋友而伤心吗？

失败了难免伤心。不过，我会增强自己的实力，和朋友一起进步！

2 你觉得小雄适合当体育委员吗？

小雄虽然不是班上体育最好的，但是他特别开朗，大家都喜欢他。

所以我觉得他很适合。

3 为什么你要让小琪当组长呢？

小琪的内心很强大，如果能克服害羞的心理，一定能大放异彩。

理解我们的人不会因为我们的成就而疏远我们，也不会因为我们的失败而嘲笑我们。

用爬楼梯的方式克服约拿效应

我们很难一下子克服约拿效应。不妨试试爬楼梯的方式，一步步地克服它。

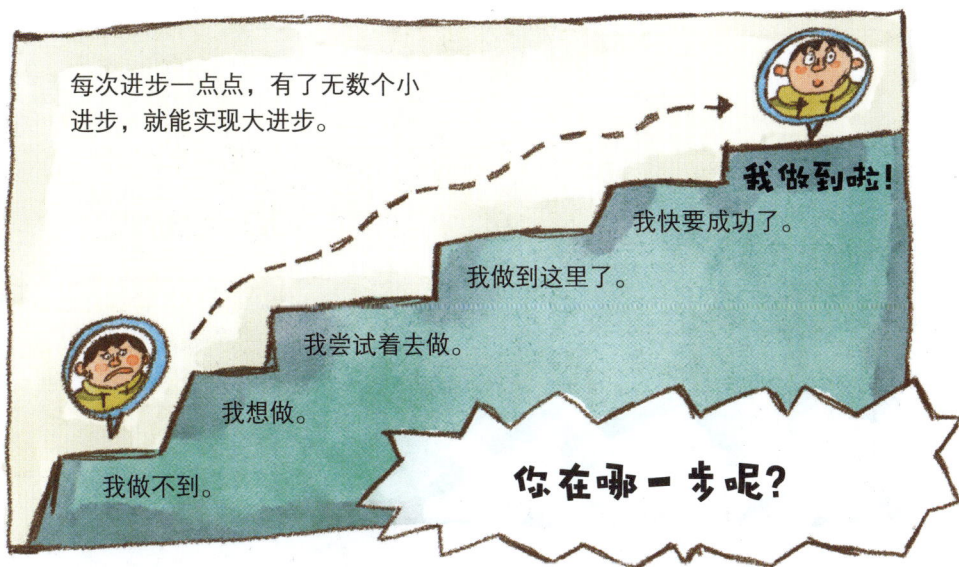

每次进步一点点，有了无数个小进步，就能实现大进步。

我做到啦！

我快要成功了。

我做到这里了。

我尝试着去做。

我想做。

我做不到。

你在哪一步呢？

比如，你害怕在公共场合发言，但却想参加演讲比赛，就可以按下面说的做。

1

先尝试在小组讨论时勇敢地表达自己的想法，再尝试在课堂上大胆举手发言。

2

克服胆怯，去更大的舞台上参加演讲比赛。

你是否无数次懊悔过"我本可以这样""我本可以那样"……其实，只要我们勇敢一点儿，自信一点儿，就能把那些"本可以……"变成现实。

我们需要做的，只是赶走自己心里的约拿！

班级联欢表演搞砸了

明天就要联欢表演了。

你明天可千万别笑场啊，忍住。

可是我一看到你扮狼外婆，就忍不住想笑。

让你笑！

好好好，明天我一定忍住。

放心吧，明天看我的——

明天的表演千万别出岔子呀。

请欣赏《小红帽》。

外婆，你的嘴巴怎么这么大？

因为要一口把你吃掉呀，我的小乖乖！

哈哈哈

哈哈！ 哈哈！ 哈哈！ 哈哈！

糟糕，我还是笑场了。

我赶紧上台救场吧……

等一下，他是大野狼！

其实那并不是剧本里的台词，我本来还有一句台词的。

如果我没有笑场，把它说出来，肯定会更好笑。

外婆，你没刷牙吗？嘴巴好臭啊！

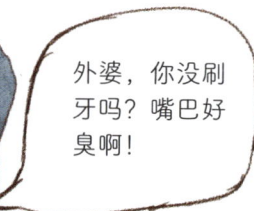

这一段肯定会让大家捧腹大笑，都怪我没忍住。

小义！

没关系，现在我们误打误撞，效果也挺好呀。你看大家笑得多开心。

也许吧……

自责

　　小义这种因为自己连累了大家而产生的愧疚心理，就叫作自责。

　　在犯错之后，适当自责是正常的，这说明我们对自己有要求，并且顾及他人的感受。适当自责可以帮助我们及时分析并改正自己的错误。

我们可以通过以下 3 个步骤来处理自己的自责情绪。

1. 意识到自己犯了错，并且对他人造成了影响。

这次是我连累了大家。

2. 向被影响的人表达歉意。

对不起。

3. 找到自己犯错的原因，主动弥补或者改正。

看多了就不会笑场了！

　　但是，如果自责过了度，使我们陷入沮丧、悔恨、郁闷、绝望，甚至自我怀疑和否定的漩涡中，它就会起到反作用。

　　如果你在出错后进行自我反省时，对自己说出类似下面的话，那你一定要小心了——你已经陷入消极的自责情绪！

看看我都做了些什么！

我是白痴吗？怎么这么蠢！

我总是把事情搞砸，为什么这么没用呢？

为什么我不能把事情考虑得周全一些？

我真是个废物！

事情不尽如人意时怎么办?

如果你觉得自己快要被过度自责的情绪吞噬了，不要着急，试试下面这4种方法。

1 为错误找更多合理的原因

犯错的原因可能是彩排时间不够、信息沟通不畅等外界原因。不要把所有错误都归咎到自己身上（当然也不能把错误推到别人身上）。

2 接受不完美

无论多小心，意外都很难避免。在接受不完美的基础上，努力做得更好吧！

更好!

3 允许同伴埋怨

如果因为你的错误连累了同伴，那么他们有所埋怨也是正常的。千万别把这看作是对友谊的背叛。

友谊

4 不要全盘否定自己

一时失败不等于一直失败。犯错了也没关系，反省、改正就好，不要质疑自己的价值。

反省时间
30:00

我想到一个好办法，下次演出我可以故意笑场。我们来设计一个情节，让这里更好笑吧！

当班干部好难啊

嘿，你猜刚刚老师找我有什么事？

你不会又闯祸了吧？

怎么可能！老师让我当小组长呢！

凭我的本事，当小组长简直是大材小用！

不说了，我先去收测验卷。

来来来，同学们，把昨天的测验卷交给我，我是你们的新任小组长。

组长辛苦了。

小义，你快美出鼻涕泡啦！

来，给你看看我的鼻涕泡——

啊！你别过来——

选上班干部是好事还是坏事?

收发作业本

管理本组纪律

以身作则

安排值日

组织同学参加班级活动

原来组长要负责那么多事,当初我干吗头脑一热就答应了呢?

你认为当班干部是好处多一点儿,还是"坏处"多一点儿呢?

当班干部可以"管"别人,很威风。

当班干部要承担很多工作,压力大,又辛苦,还影响学习。

正方

反方

其实,这两种说法都失之偏颇。当班干部确实有很多好处:帮助老师管理班级能增强我们的责任心;得到老师的鼓励和同学的认可能增强我们的自信心;克服困难、完成任务的过程能让我们学会坚持。

至于当班干部之后遇到的麻烦,并不是当班干部这件事本身引起的,而是由于我们的处理方式不当。如果觉得工作太多,我们可以和老师沟通,或者请同学们帮忙,这也能锻炼我们的协调能力和管理能力。

淬火效应

既要每天早起收作业，又要组织小组成员参加演讲比赛，小义觉得压力太大了！你知道什么是压力吗？如果我们一想到要做某件事，就感到紧张、焦虑、不舒服，这件事就给我们带来了压力。

铁块

不要！

舒服！

冷却剂

冷却剂

一些金属材料被加热到一定温度之后，把它迅速放进冷却剂中，材料的硬度、韧性等性能会变得更好。心理学上把这种现象叫作淬火效应。有时候，我们可能觉得压力就像当头浇下来的一盆冷水，让我们喘不过气。但是，淬火效应告诉我们，压力有时候更像锻造金属时使用的冷却剂。战胜压力，我们会变得更坚强。

强者

其实，适当的压力可以帮助我们成长。比如有了考试的压力，我们会更努力地学习；有了当众表演的压力，我们练习时会更加投入。

做点儿什么来减轻自己的压力吧！

　　不过，压力过大、被压力影响的时间过长，也不是好事情。这时，我们就需要把造成压力的事情解决掉。无论你面对的是怎样的压力，都可以试试下面3个步骤。

1 弄清楚真正的压力来源

比如，小义目前最大的压力不在于当了班干部，而在于不知道如何安排演讲比赛的相关事宜。

2 想办法让情况好起来

要想缓解压力，小义不需要辞去班干部的职务，只需组织好演讲比赛。比如，确定参赛人选可以选择以下几种方法：

■ 组织小组成员投票，推举最合适的人选；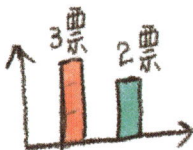

■ 说服小组成员主动报名，并且相互比拼，选出表现最好的组员去参赛；

■ 随机抽签。

人选的问题解决了，假如你是小义，你会用哪些方法敲定演讲题目呢？

同意，同意！

别争了，要不投票决定吧，这样最公平了。

寻求帮助

如果你想不出任何方法来应对目前的状况，可以请他人帮忙，千万不要不好意思。有时候，专业人士的一句话就能解决我们的大难题。

老师，这是我们的演讲稿，您能帮忙看看有什么需要改进的地方吗？

噗，放了个屁

别吃了，一会儿还要演讲呢。

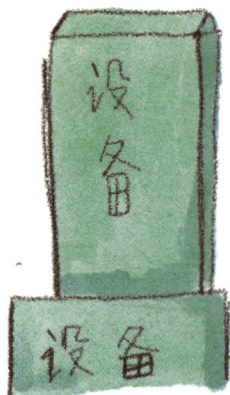

候场区

设备

设备

小心拉肚子。

所以才需要补充体力呀！最后两口。

肚子好痛啊——坚持，坚持一下！

接下来为大家演讲的是小义！

咕噜咕噜

80

啊，好想放屁……

咕噜

我就放一下，离这么远，他们应该听不到。

我今天演讲的题目是：春节——

春节，是我最喜欢的节日……

爆竹一声辞旧岁——

噗

静悄悄……

哈哈哈 哈哈 哈哈

81

出丑效应

如果你不小心在大家面前放了个屁，是不是恨不得地板上有条缝可以让你钻进去？这种脸颊发烫、恨不得原地消失的感觉就是尴尬。我们之所以会感到尴尬，是因为内心认定别人会因为我们出丑而嘲笑我们。可是，出丑的后果真的这么严重吗？

哈哈哈，你放的那个屁特别响！

哈哈哈，你当年放了个屁，特别响！

50年后

心理学上有一个"出丑效应"，说的是一个人如果十分优秀、完美无缺，反而会让人觉得高不可攀、难以亲近。反过来，一个人如果有些小缺点，会让人觉得更真实，愿意与之亲近。所以，如果你在大家面前做出些无伤大雅的糗事，可能因此更受欢迎。

听说他成绩很好，我好想认识他啊。

但是他看起来很严肃。

啊！有蜘蛛！

没想到你也怕蜘蛛！

生活中的各种尴尬事

偶尔犯一点儿小错，后果根本不像我们想的那样严重。除了不小心放个屁，生活中还有各种各样突如其来的尴尬事，你遇到过吗？

4 个技巧，从容化解尴尬

其实尴尬并不可怕，可怕的是不知道怎么处理，最终让尴尬影响了我们的生活。下面这些技巧可以帮助我们轻松化解尴尬。

1 大方承认

不为自己的尴尬行为做无谓的掩饰。

> 啊，确实是！我的牙缝里卡的是一片韭菜。

2 自我解嘲

开玩笑可以将大家的注意力从你的尴尬行为转移到你幽默的话语上。

> 我替大家试过了，真的挺滑的。

3 转移话题

讨论最近备受关注的热门话题是化解尴尬的好办法。

4 和大家一起哈哈大笑

不妨试着和大家笑成一团，这样尴尬很容易就被化解了。

> 哈哈哈，太丢人啦！

> 不好意思，刚才清理了一下"内存"，哈哈哈！

不过，有一点要注意。我们如果觉得被同学们的反应伤害到了，那么也无须刻意迎合大家。大胆地说出这件事情给我们带来的困扰，让大家以后不要再提这件事了，相信绝大部分人都会尊重我们的感受。

即便有烦心事，也要专注于当下

对手那么厉害。

刚才我还摔了一身泥。

2:0

3:0

小义，你怎么回事儿？傻了吗？

算了……我还是不踢了。

焦虑是如何影响我们的?

　　小义发挥失常,小杰背不进去单词,是因为他们在"一心二用":他们在做一件事情的同时,还在想着其他事情,因此会感到焦虑。我们的大脑其实并不能同时执行多项任务,只能在不同任务间不停切换。而心理学上的契可尼效应表明,人们总会对没完成的事情念念不忘,这会造成焦虑。而且每次切换任务,都需要花费额外的时间和精力,我们的专注力和记忆力也会因此受影响,这会使我们更加焦虑。

小杰的大脑

先背单词吧!

还是先道歉吧!

　　如果一件事情让我们感到焦虑不安,而我们可以迅速解决这件事情,那就立刻解决它。

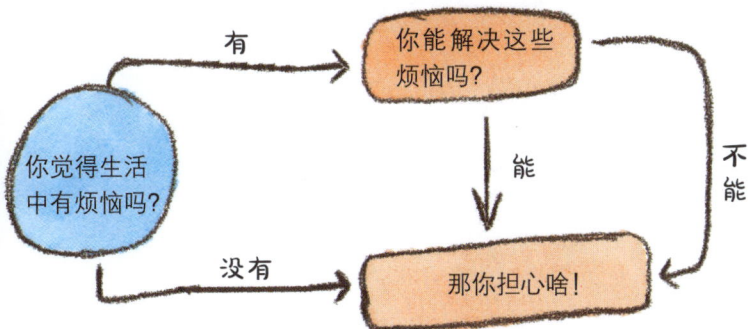

算了,我还是先去道歉吧。

你觉得生活中有烦恼吗? —— 有 —→ 你能解决这些烦恼吗? —— 能 —→ 那你担心啥!

你觉得生活中有烦恼吗? —— 没有 —→ 那你担心啥!

你能解决这些烦恼吗? —— 不能 —→ 那你担心啥!

用冥想摆脱焦虑

承认自己很焦虑

我们可以将焦虑情绪想象成一个小怪兽，尝试用大小、形状、颜色、触感等描述它。如果想象不出来，可以问自己下面这些问题。

- 它是什么颜色的?

- 它有多大? 黄豆那么大? 乒乓球那么大? 还是足球那么大?

- 它躲在你身体里的什么地方?

- 它在动吗，还是静止的? 如果动，它动得剧烈吗?

- 它有温度吗? 是热的，还是冷的?

下次再出现焦虑情绪时，我们可以轻描淡写地对自己说"这个熟悉的家伙又出现了"，这样做可以让我们比以前更容易集中注意力，因为我们已经知道怎么应对这个焦虑怪兽了。

我觉得身边好像有个巧克力色的黏糊糊的球形小怪兽，它在我身上蹭来蹭去。

步骤 2

与焦虑怪兽保持距离

我们要告诉自己，一定要暂时与干扰自己的焦虑怪兽保持距离，不要被它影响，否则我们很快就会被它控制。

请你先不要靠近我，不然我没有办法专心踢球。

如果令你焦虑的景象又浮现在眼前，你可以闭上眼睛，深呼吸，用手缓缓地轻敲大腿 10 下。做完你会发现，焦虑会得到缓解。

步骤 3

自我暗示，马上行动！

把焦虑怪兽在脑海中用力扔掉，让注意力回到当下的事情上。

如果因为觉得写作文太难而焦虑，可以先动手写下第一个句子。

踢球时如果无法集中注意力，先跑起来再说！

过几分钟，焦虑情绪的影响力就会变弱，我们又能集中注意力做好手头的事情了。

我已经很努力了，别总说我

妈妈，你看，这次测验我语文考了 A⁺！

嗯，不错啊小义。

要是你的数学成绩能和语文成绩一样好就好了。

可是，我数学也进步了啊。

毕竟只得了 B⁺，我们来看看下次怎么样能得 A。

超限效应

　　小义觉得自己努力了，但没有被看见，很委屈。你有没有像小义这样，觉得好像无论自己怎么努力，爸爸妈妈都不满意？明明你语文得了 A，但是妈妈却问你为什么英语只得了 B。明明你已经进步了很多，爸爸却问你为什么你不是第一名。久而久之，你难免会产生逆反心理，再也不想努力了。

　　心理学上有一个超限效应，指刺激过多、过强或作用时间过久，会引起不耐烦或逆反心理。据说，美国著名作家马克·吐温有一次在教堂听牧师演讲，最初他觉得牧师讲得很好，他很感动，准备捐一大笔钱。可是过了 10 分钟，牧师还没有讲完，他有些不耐烦了，决定象征性地捐一点儿。又过了 10 分钟，牧师还是没讲完，于是他决定一分钱都不捐了。

为什么爸爸妈妈对我们要求那么高？

为什么爸爸妈妈这么在乎我们的成绩？为什么他们好像看不到我们的努力？他们是不是不爱我们，只爱好成绩？

其实，所有爸爸妈妈都爱自己的孩子，只是他们可能没有找到正确的教育方法。也许我们的爸爸妈妈小时候也承受了同样的压力。也许他们当时并没有觉得这样的教育方法有问题。也许他们也委屈过，但是已经忘记了。我们要相信，虽然爸爸妈妈一时忽略了我们的感受，但他们对我们的爱是不变的。

马克·扎克伯格是脸书的创始人，比尔·盖茨是微软的创始人，他们曾经都从大学辍学，但从未停止过学习和进步。请记住，学习的目的永远不是"取得好成绩"，而是变得更强大、更优秀。

马克·扎克伯格

比尔·盖茨

如何应对来自爸爸妈妈的压力?

虽然爸爸妈妈是为了我们好,但的确给我们带来了很大压力。下面的 4 个技巧可以帮助我们应对来自他们的压力。

1 调整情绪,避免硬碰硬

你如果觉得爸爸妈妈冤枉了你,尽量不要在冲动的时候顶嘴,避免说出伤害家人的话。

2 找准时机,理性沟通

在爸爸妈妈心情比较好的时候,可以跟他们好好沟通。

3 确定目标,避免误会

你应该在下次考试前和爸爸妈妈确定一个目标,这个目标要有挑战性,但又不能过高,以免影响你的积极性。

目标

4 相信自己,不要放弃

有时候爸爸妈妈确实会过度焦虑,你不要受他们的影响,而要努力做得更好。

焦虑

为什么我很努力却依然没有进步?

毛毛虫效应

小义努力学习英语，成绩却没有提高，所以无精打采、灰心丧气，对什么都提不起兴趣。这种情绪就叫作沮丧。要想告别沮丧，就要及时总结失败的原因。

法国昆虫学家法布尔曾经做过一个毛毛虫实验。他把许多毛毛虫放在一个花盆的边缘，让它们首尾相连，围成一圈，并在花盆旁边不远的地方放了一些毛毛虫爱吃的松针。实验开始，每一条毛毛虫都跟随着自己前面的毛毛虫爬行，不停地绕着花盆的边缘转圈。最后，它们把自己累得筋疲力尽。

心理学家把这个现象叫作毛毛虫效应，它启发我们在做事时，不能盲目跟随之前的经验和习惯。

每天不停地背单词，看似努力，却牺牲了休息、思考、应用的时间，事倍功半。

啊……这？

告别沮丧

为自己没有进步而沮丧，说明我们有上进心、渴望变得更好。这不是坏事！试试下面这几种方法，它们可以帮我们告别沮丧。

1 ## 只跟自己比

只要现在的自己比一天前、一个月前的自己有进步，就值得庆祝。

你芭蕾跳得好棒！

我什么时候才能得到夸奖？

一个月前

好痛，压不下去……

2 ## 了解学习瓶颈期

我们在学习过程中会遇到一些瓶颈。在瓶颈期内，无论怎么努力我们可能都无法提升。此时，我们应该放平心态。

3 ## 适当放低目标

一个月背 1000 个单词，对谁来说都很困难。如果目标过高，完成不了的时候就容易自暴自弃。

本月目标

1000个单词

不要唠叨了，我会去做的

我都说了多少遍让你收拾房间了？
糟了，妈妈又要训我了！
我都说过多少遍了，你怎么就是不听呢？
现在连作业本都找不见了。
作业还怎么做？
房间这么乱。
你到底什么时候才收拾房间？
知道啦！
每次都说知道了，你得做啊……
烦死了！
为什么什么都要听她的？
我有自己的安排不行吗？
我偏不写作业！

罗密欧与朱丽叶效应

　　罗密欧与朱丽叶彼此相爱，但是他们的家族却彼此仇视，反对他们在一起。最后，二人选择用生命捍卫爱情。后来，心理学家把这种逆反心理称为罗密欧与朱丽叶效应。这个效应不仅在爱情中很常见，在日常生活中也很常见：我们明明知道爸爸妈妈说的是对的，但是他们越唠叨，我们就越想和他们对着干。

对的方向　回来！　我偏不！

　　如果我们经常出现这样的逆反心理，就需要注意了，一旦出于逆反而做出一些错事，我们身心的健康发展就会受影响。

我妈妈总是让我快点儿写完作业好做额外的练习题，这时候我就连作业都不想好好做了。

我最烦早上我妈喊我起床，她越喊，我越想赖床。

我本来想周末收拾房间，但是我妈说了之后我就不想做了。

学会解读

冰山露出水面的部分很少，它还有很大的一部分藏在水面之下。爸爸妈妈的爱也是这样，我们听到的是唠叨，藏在唠叨背后的其实是爱和关心。

其实，在爸爸妈妈眼中，我们永远是孩子，他们担心我们没有能力照顾好自己，所以才会反复提醒、反复唠叨。你下次再因为他们唠叨而想发脾气时，不妨深呼吸、从 1 数到 10，让自己冷静下来，然后试着去理解他们唠叨的真正原因吧。

积极回应爸爸妈妈的唠叨

假如妈妈喊你吃饭，但是你手头的事情还没有做完，你会用下面哪种方式来回应妈妈呢？

1 消极回应

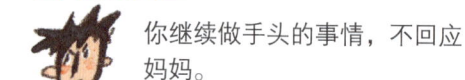
你继续做手头的事情，不回应妈妈。

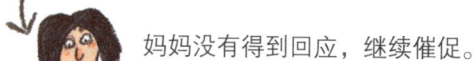
妈妈没有得到回应，继续催促。

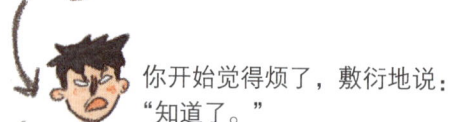
你开始觉得烦了，敷衍地说："知道了。"

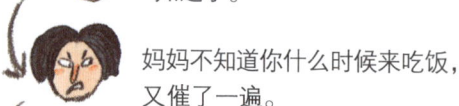
妈妈不知道你什么时候来吃饭，又催了一遍。

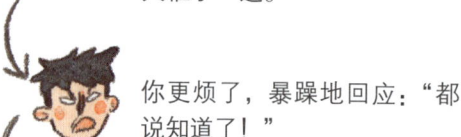
你更烦了，暴躁地回应："都说知道了！"

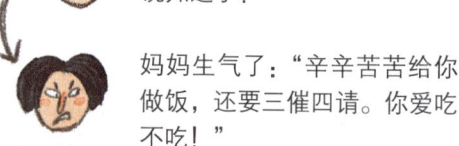
妈妈生气了："辛辛苦苦给你做饭，还要三催四请。你爱吃不吃！"

最后，你和妈妈都很不高兴。

2 积极回应

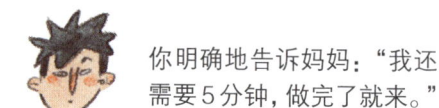
你明确地告诉妈妈："我还需要5分钟，做完了就来。"

妈妈听到了，不再催你。

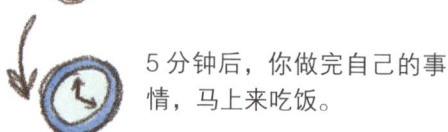
5分钟后，你做完自己的事情，马上来吃饭。

最后，你和妈妈一起愉快地吃饭。

看到了吗？积极回应和消极回应带来的结果截然不同。所以，下次爸爸妈妈唠叨时，你可以积极地跟他们约定时间，并且遵守约定。这样，他们会对你越来越信任，也就会减少对你的催促。

好了，现在我们一起来帮小义想想怎么回应妈妈让他收拾房间的要求吧！

我现在开始做作业，做完作业玩一会儿，8点半就收拾房间。

今天作业比较多，我打算周六上午10点给房间大扫除。

我每天都要玩游戏

105

糟糕！

今天怎么这么晚才回来？

我……我去小杰家写作业了。

真的吗？不会又出去玩儿了吧？

算了，信你一次。吃完饭洗个澡赶紧睡觉吧。

你昨天、前天还有大前天的作业统统没交！

我得送你到戒网中心！

天天不听课可不行啊。

我才不要和网瘾少年做朋友！

爱好还是成瘾?

做某件事过度投入、难以停止，甚至影响了正常的生活，就是上瘾，比如暴饮暴食、购物成瘾、网络成瘾。其中，网络成瘾是如今非常普遍的现象，很多人沉迷于玩网络游戏、刷短视频、观看直播。如果出现以下 5 个迹象，说明我们可能已经对某件事上瘾了。

1 对其他事都提不起兴趣

走啊，去博物馆。

走啊，去踢球。

走啊，去公园。

走啊，去图书馆。

不，我要玩游戏!

2 占用学习时间

4 难以停止

3 引起身边人的担忧

5 一旦停下，就会感到烦躁或沮丧

瓜子效应

你吃过瓜子吗？一旦开始吃第一颗，就会忍不住吃第二颗、第三颗……直到吃光。这是因为人们做任何一件事，都希望得到即时反馈，反馈得越快，我们就越开心。而只需几秒钟，我们就能嗑开瓜子并吃下去，得到反馈，所以很多人一吃瓜子就停不下来。心理学家将这种现象称作瓜子效应。

网络让我们沉迷，很多时候正是因为瓜子效应。打开短视频软件，手指轻轻滑动，我们就能看到一段新视频。打开游戏软件，每打一局游戏，我们就会得到一些新道具，并且获得经验。在短视频和游戏设计师的精心设计下，我们总是忍不住玩一会儿，再玩一会儿。

沉迷网络怎么办?

沉迷网络的危害真的非常大。如果你发现自己有沉迷网络的倾向,可以尝试用下面几种方法摆脱对网络的依赖。

1

增加开始的难度

根据瓜子效应,一旦开始吃第一颗瓜子,人们就很难停下来。因此,我们可以提高吃到第一颗瓜子的难度。比如把游戏卸载、把手机锁在柜子里等。这样做,一开始我们可能会很难受,但是一段时间之后我们会发现,没有手机也能过得很快乐。

2

跟朋友相互督促

我们可以和好朋友相互监督,不要玩手机,并约定一些小小的惩罚措施来约束彼此的行为。

3

发展多方面爱好

很多时候,人们沉迷游戏是因为觉得现实生活很无聊。如果能发展运动、表演等爱好,我们会发现,现实生活其实更有趣。

4

严格控制时间

适度接触网络其实是有益的,不过一定要严格控制时间。一旦超过约定时间,就要立刻停止。

别总拿我和别人比

妈妈你看，这是我今天的美术作业。

画得不错呀，颜色真好看。

你猜老师给了我什么等级？

我觉得肯定能拿 A。

猜对了！

A

老师说我这幅画很有创意！

今天你表姐又参加钢琴演奏会了，弹得可好了。

小义妈：果果真棒！👍♡♡
果果妈：你家小义画画得也不错呀！
小义妈：可是成绩不行啊！TT

听说小杰正在准备钢琴考级？

那孩子真厉害，钢琴弹得好，

成绩也很优秀。

妈妈，我的画画得也很不错呀……

你呀，昨天语文测验只得了 B，赶紧去做作业吧，咱们争取下回测验拿 A！

我明明美术作业得了 A，妈妈却偏拿语文测验说事儿。

整天只知道夸表姐和小杰！

整天只知道夸表姐和小杰！

妈妈是不是不爱我了……

在妈妈心里，我就这么差劲吗？

小杰那么好，让他给你当儿子吧！

标签效应

标签效应

你只考了 98 分，还差 2 分才满分呢。人家小明每次都考 100 分。你就是不如人家细心。

隔壁小红钢琴都该考 8 级了，你才考 6 级。你就是没有天赋。

你同桌英语又得了 A，你怎么每次都得 B？你可能不适合学英语。

你表妹参加英语比赛又拿了第一，你这当表哥的赶紧努力啊！

当心！有些父母总是无形中给孩子贴很多负面标签，如果我们内心不够强大，可能真的会接受这些标签，进而自暴自弃，最终真的变得"不够好"。这就是标签效应带来的可怕后果。

你很差劲

你不够好

撕掉标签，建立内在评价系统

想要不受负面标签影响，我们需要建立内在评价系统，根据真实情况客观地评价自己。

如果妈妈对小义说："小杰背了 15 个单词，你只背了 8 个，你真懒！"这就不是客观评价。

真实情况是什么呢？

小义和小杰的英语基础不一样，学习速度也不可能相同。如果我们凡事都和他人比，我们的努力就可能被忽略。但是，如果我们能建立一套内在评价系统，就不容易被别人的评价影响。

哇，我今天真棒，背了 8 个单词，平常我只能背 5 个。你呢？

其实，不是不可以比较，但是我们更应该跟自己比，哪怕只进步一点点，也值得开心。试着发现自己的进步，并且记录下来吧！

我的进步：＿＿＿＿＿＿＿＿＿＿＿＿＿＿＿

＿＿＿＿＿＿＿＿＿＿＿＿＿＿＿＿＿＿＿＿＿

＿＿＿＿＿＿＿＿＿＿＿＿＿＿＿＿＿＿＿＿＿

学会非暴力沟通法

你怎么总是说我比不上别人，你就不能表扬我一下吗？

你这是在埋怨我吗？

　　如果爸爸妈妈总拿别人和我们比较，给我们造成了困扰，我们要表达自己的感受。不过，如果用上面这种方法，可能会让我们和父母都不开心。所以，我们应该学会非暴力沟通法。

　　将上面的话与下面这几句话进行比较，你觉得小义妈妈听了下面的话会不会感觉好一些？

妈妈，你每次只说别的孩子很优秀。

我很难过，因为我也想得到你的表扬。

你下次能不能也夸夸我？

描述事实 ⟶ 表达感受 ⟶ 提出请求

　　上面这3句话使用了非暴力沟通法，它包含3个步骤，即描述事实、表达感受、提出请求。

使用非暴力沟通法时，我们还要注意一些小技巧：比如描述事实是描述行为，而非攻击对方；使用第一人称"我"表达感受，不要说"你……"。

描述事实		表达感受	
描述行为	攻击对方	使用"我"	不说"你"
你看了我的日记。	你太不尊重我了。	我感到很生气。	你惹怒了我。
你看到我没在写作业就唠叨。	你真的太烦了！	我有点儿失望。	你让我失望了。
你没经过我同意就把我的东西送给了别人。	你太没礼貌了！	我很伤心。	你伤了我的心。
√	×	√	×

对不起，妈妈之前拿你和别人比较的行为对你影响很大。妈妈会改正这个错误，不会再拿你跟别人比较。

谁也不能什么都有

119

昨晚我的偶像又得了芭蕾比赛的冠军。

我也看了，比赛真精彩，她跳得太好了。

我要是能跟她一样厉害就好了。

我就做做梦吧，不可能的。

你跳得也挺好的呀。

原来这么出色的小莉也会羡慕别人啊。

为什么我们总在羡慕别人？

小琪羡慕小莉芭蕾跳得好。

小莉羡慕小义可以自由地玩耍。

小杰羡慕小琪的爸爸妈妈经常陪伴她。

小义羡慕小杰成绩好。

你看，我们每个人都在羡慕别人，而那些被羡慕的人可能也在羡慕其他人。这个世界上有人生活在战乱当中，有人交不起学费，有人过年才能吃一次肉……你眼中的平凡，是很多人可望而不可即的幸福。

121

自我选择效应

　　心理学上有一个有趣的现象——自我选择效应，说的是我们今天的生活是由自己3年前的选择决定的，而我们今天的选择将决定我们3年后的生活。我们可以通过改变当下的行为，让未来的自己变成更好的人。

3个人被坏人抓走，并将在一座荒岛上度过3年。上岛之前，每个人被允许提出一个要求。

A

要求提供抽不完的香烟。

B

要求提供一台24小时播放肥皂剧的电视机。

C

要求提供全套大学数学教材。

3年后，A咳嗽个不停，B变得近视，C则成为一名数学家。

3年前

妈妈，我想学跳舞。

3年后

　　所以，当我们忍不住羡慕别人的时候，不妨化羡慕为动力，帮助自己走向精彩人生。

突如其来的坏消息

你没睡好吗？今天一直打哈欠。

对啊，你看昨天的新闻了吗？A市发生海啸，两个孩子被冲走了，现在都没找到呢。

我一晚上没睡着，既担心那两个孩子，又担心自己会不会哪天也被冲走。

说起来，我前天也看到一则很可怕的新闻：一位老人家刚走进一条小胡同，就被莫名其妙地打了一顿。

太可怕了，我都不敢走小路了。

我上个月看到国外又发生了爆炸，感觉好可怕。要是哪天地球毁灭了可怎么办啊？

如果地球真的毁灭了，现在上学是不是就没有意义了？

前些天我看到一个小女孩由于跳舞的姿势不对，受了很严重的伤，我都不敢跳舞了……

什么是创伤后应激障碍?

　　这个世界不是只有善良和美好，有时也有天灾人祸。有些人在亲历灾难后，会患上创伤后应激障碍，也就是PTSD。在生活中，虽然我们经历灾难事件的概率极小，但是由于发达的网络，我们也总能在网上看到很多负面信息。如果我们不能正确地看待这些信息，及时排解负面情绪，就可能产生类似于PTSD的症状。

如何面对灾难新闻？

如果我们因为看了灾难新闻而不安，要怎么应对呢？

1 和爸爸妈妈谈论我们看到的灾难事件

我们对世界的认知有很大的局限性，容易产生偏见。和爸爸妈妈聊聊，我们对负面消息会有更全面的理解。

2 了解更多安全知识

安全指南

学习安全知识，学会在发生紧急事件时保持冷静并设法脱困。

3 探索灾难事件的成因

原来我们的城市不会发生海啸。

有时候，恐惧源于无知。了解灾难事件的成因对减轻焦虑和恐惧很有帮助。

4 尽自己所能帮助他人

钱

我们可以通过捐献零花钱或课外书等方式，帮助在灾难中受害的人。

5 分散注意力

到户外走走，或者进行其他娱乐活动都有助于减轻灾难新闻对我们的负面影响。

6 化悲痛为动力

作为未成年人，贸然地见义勇为可能危及自己的生命安全。我们可以化心中的悲痛为力量，努力学习各种知识，争取在未来帮助更多人。

我以后要发明超级救生艇，拯救更多人！

7 别对这个世界失望

虽然我们经常看到关于灾难的新闻报道，但我们也能看到爱和善意无处不在。所以，不要停止爱这个世界呀！

无论如何都不能放弃生命

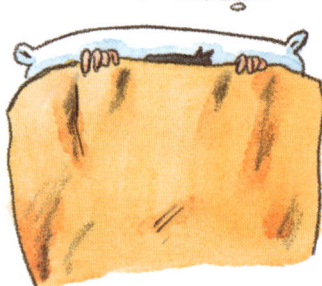

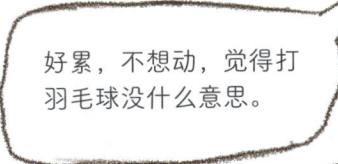

小学生心理健康调查问卷

自责
○从来没有
○偶尔
○比较频繁
○非常频繁

感到学习压力很大
○从来没有
○偶尔
○比较频繁
○非常频繁

健忘
○从来没有
○偶尔
○比较频繁
○非常频繁

有睡眠障碍
○从来没有
○偶尔
○比较频繁
○非常频繁

觉得自己没有价值
○从来没有
○偶尔
○比较频繁
○非常频繁

觉得自己前途黯淡
○从来没有
○偶尔
○比较频繁
○非常频繁

有伤害自己的想法
○从来没有
○偶尔
○比较频繁
○非常频繁

饮食不正常
（偏食、吃得过少、吃得过多）
○从来没有
○偶尔
○比较频繁
○非常频繁

想哭
○从来没有
○偶尔
○比较频繁
○非常频繁

我怎么觉得这些表现你都有啊？

抑郁的影响

上页的调查问卷可以帮助我们评估抑郁倾向。抑郁虽然只是负面情绪的一种，但如果它持续时间长并伴有明显的心境低落，造成的伤害一点儿都不比普通疾病小。严重的情况下，抑郁的人可能悲观、厌世，甚至想自杀。有抑郁倾向的人可能有以下表现。

1 体重异常，过重或过轻

2 难以集中注意力，成绩下降

3 睡眠质量差，身体疲倦

4 社交困难

5 自卑，自责，对自己的未来不抱希望

6 有伤害自己的念头

不要害怕跟爸爸妈妈谈论抑郁情绪

如果你在填写问卷时，许多问题的答案都是"非常频繁"，先别害怕，也别觉得自己奇怪。你或许不敢和别人，尤其是爸爸妈妈谈论自己的抑郁情绪。其实，很多人跟你一样痛苦。只要我们坦诚表达，很多人都会帮助我们。

下面这些人通常都是我们可以信赖的人。但是，如果其中有导致我们抑郁的人，那么我们可能需要避开他们。我们还可以拨打一些可以帮助未成年人的热线。

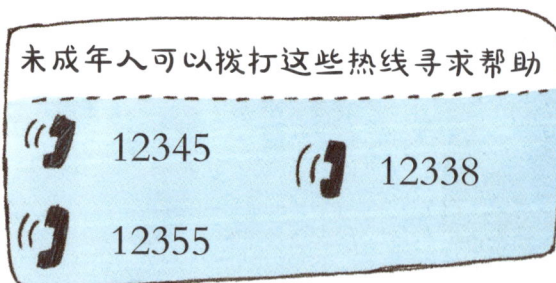

爸爸妈妈

老师

朋友

学校的心理辅导员

未成年人可以拨打这些热线寻求帮助

12345   12338

12355

试着排解抑郁情绪

除了找人倾诉，我们也可以尝试用以下方法来排解抑郁情绪。

做自己喜欢做的事情。

洗个热水澡或冥想。

1

2

通过做家务或手工来分散注意力。

过去有过类似感受时，你做了什么让自己好起来的？将它们再做一次。

4

3

通过画画、写日记、跳舞等方式表达自己的感受。

7

与宠物或好朋友互动。

5

8

进行体育运动。

6

去户外，亲近大自然。

记住：
如果以上方法全都无效，要赶紧告诉爸爸妈妈，让他们带你去正规的医院寻求医生的帮助。抑郁和感冒有点儿像，大部分人很快就会痊愈，但是有些人症状严重，需要去医院治疗，这并不丢人。

133

在抑郁中重新认识生命

生命无处不在：春天的嫩芽，夏天的鲜花，秋天的果实，冬天埋在泥土里的种子……每一个生命都是宇宙里的一个奇迹。

我们每个人的生命都是鲜活的，人类的大脑中充满了智慧，可以创作出思想深刻的著作、谱写出令人陶醉的乐曲、研究出让全人类都受益的科技成果。

生命对我们来说是最宝贵的，它仅有一次。无论如何，只有活着，才有破茧成蝶的希望。人生是场旅途，能看到多少风景，取决于路程的长短。只要走下去，总会遇到彩虹。

X月X日　星期X　　　晴
生命充满了力量。我一定可以战胜挫折，经受住疾风暴雨的考验，最终收获绚丽的彩虹。